# ma Vie, mes Copines !

Le voyage scolaire

Texte : Catherine Kalengula.
Illustrations : Pacotine.
Conception graphique : Audrey Thierry.
Mise en pages : Mélody Gosset.

Hachette Livre, 58, rue Jean-Bleuzen, 92178 Vanves cedex.

# ma Vie, mes Copines !

## Le voyage scolaire

hachette
JEUNESSE

# Chloé

Chloé adore le sport mais n'aime pas trop l'école. Pas toujours évident à vivre quand on a une belle-mère qui est professeur dans le même collège... Heureusement, la natation et le chant lui permettent de compenser. Elle excelle dans ces deux disciplines qui sont ses deux passions.

Papa, Victor et Judith

♡ Maman

Anatole

# Kim

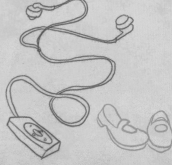

Kim est rigolote, fantasque, pleine d'idées et de ressources pour trouver des solutions à tout. Elle n'a aucun mal à se faire des amis. Ça tombe bien car elle aime être entourée. Elle adore rêver, même en classe, qu'elle est une styliste connue et reconnue dans le monde entier.

Maman et papa

Stéphanie

# Pauline

En plus d'être une très bonne élève, Pauline est une fille douce et avenante avec tout le monde. Personne ne résiste à son charme, surtout les garçons. C'est aussi une excellente musicienne. Depuis l'âge de 5 ans, elle fait du piano. Rock ou classique, elle peut jouer tous les registres.

Toute la famille !

# Chapitre 1

Séance shopping

Coucou, Kim, tu sais quoi ?
Ma mère m'a dit qu'elle revenait
dans deux semaines. Deux
petites semaines ! Ça veut
dire qu'elle sera là pour mon
championnat de natation.
Je suis hyper contente !

C'est génial !!! Je sais à quel
point elle te manque… Parfois,
je me demande comment tu fais
pour supporter son absence.
Tu es très courageuse. Ça fait
combien de temps qu'elle est
partie en tournée ?

*Pfff !* Une éternité ! Je ne suis pas courageuse. Je n'ai pas le choix, c'est tout. Et puis, je me dis qu'il y a pire que moi. Sinon, toi, ça va ?

Moyen. Comme tous les samedis, il y a un monde fou au salon, et maman est débordée entre les shampooings bio, les brushings années 80 et les colorations couleur pastel – ses nouvelles passions. Je me sens SEULE ! Dis, tu fais quoi cet après-midi ? On peut aller en ville ?

J'aurais bien aimé, mais Léa m'a invitée au cinéma. Elle a trop de travail ces derniers temps, et je ne l'ai pas vue depuis la rentrée. Vraiment désolée :-( Tu ne m'en veux pas ?

Grave ! Tu vas me le payer cher !

Ah bon ?

Mais non, voyons, je rigole !
Je comprends très bien.
De toute façon, j'avais quatre
tonnes de devoirs à faire.
Alors, autant m'y mettre
maintenant pour être
débarrassée.
Amuse-toi bien !

Merci, Kim !
Bisous et à plus :-)

*Les rêves sont ce qu'il y a de plus chouette dans la vie. Il faut se battre pour les atteindre, ne jamais rien lâcher, même lorsque certaines personnes tentent de vous décourager. À force de volonté, vos rêves peuvent devenir réalité. Mais les plus beaux sont parfois ceux auxquels on ne s'attend pas…*

Comme tout le monde, Chloé a un tas de rêves. Elle rêve de remporter de grands championnats de natation.

Elle rêve aussi de faire carrière dans la musique. Et depuis peu, elle rêve qu'un certain garçon aux yeux bleus la remarque…

Parmi tous ses rêves, figure celui – impossible ! – d'avoir une grande sœur. Une sœur qui lui donnerait des conseils vestimentaires, ou qui lui expliquerait comment se comporter au collège. Une sœur qui

saurait comment réagir lorsque Rose et Violette essaient de la faire sortir de ses gonds. Chloé pourrait tout lui confier – y compris les choses qu'elle n'ose pas avouer à ses parents.

À défaut de grande sœur, elle a sa tante, Léa. Léa est jeune et elle la comprend. En plus, – détail qui a son importance – elle sait garder tous les secrets.

– Alors, tu veux voir quoi, ma sirène ? demande-t-elle dans le hall du cinéma. Un film Marvel ou le dernier *Mission impossible* ? À moins que tu ne préfères une comédie à l'eau de rose ? ajoute-t-elle avec un clin d'œil.

Chloé rosit malgré elle.

– Jamais de la vie ! Tu sais bien que je déteste les trucs bêbêtes. Les gens qui tombent amoureux et qui s'embrassent à longueur de temps. Pouah, ça me dégoûte !

– Je plaisantais, précise Léa en souriant. Mais comme tu es au collège maintenant, je me disais que tu pourrais avoir envie de regarder autre chose… Ce serait normal, après tout, puisque tu grandis. Il n'y a pas de honte à avoir. D'ailleurs, j'ai cru remarquer que tu avais mis du maquillage, aujourd'hui.

Cette fois, Chloé prend la teinte de la cerise bien mûre. C'est Kim qui, malgré ses protestations, a tenu à lui donner ce rouge à lèvres beige rosé. Au début, Chloé l'a laissé dans un coin de sa chambre. Mais l'autre jour, avant d'aller en cours, elle s'est surprise à avoir envie d'ouvrir le tube…

Son père n'a rien dit en la voyant. Il a juste haussé un sourcil surpris. Et Chloé s'est empressée de tourner la tête de l'autre côté. De toute façon, ça reste très discret. Elle a juste l'impression d'être un peu plus jolie.

– *Grr !* ronchonne-t-elle, en levant les yeux au ciel. Le rouge à lèvres *nude,* c'est une idée de Kim et de Pauline. Elles disent que ça me va bien. Pauline, tu sais ? C'est ma nouvelle copine dont je t'ai parlé l'autre jour, sur Skype.

Tentative de changement de sujet complètement ratée.

– Je trouve que c'est ravissant, la complimente sa tante. Bon, je vote pour l'inusable Ethan Hunt et sa nouvelle mission impossible. Ça te va ?

– Super !

Un énorme seau de pop-corn dans les mains, elles entrent dans la salle en riant…

— Et maintenant, si on allait faire du shopping ? suggère Léa, lorsqu'elles ressortent du cinéma.

Chloé la regarde, stupéfaite. Elle ne s'attendait pas à ce que sa tante lui propose ce genre d'activités. Mais l'important, c'est de rester le plus longtemps possible avec elle. Quitte à devoir bâiller d'ennui dans des boutiques bondées et surchauffées. Elle acquiesce.

— Je meurs d'envie de t'offrir une robe, explique Léa, en l'entraînant vers le centre commercial tout proche.

Chloé en reste bouche bée. *Une robe* ? Cette chose qui dévoile les jambes et vole au vent à tel point que vous avez l'embarrassante sensation d'avoir les fesses à l'air ? Quelle horreur ! Mais elle suit Léa à l'intérieur d'un magasin, droit vers le rayon des vêtements pour ados.

– Elle te plaît ? demande sa tante en lui montrant une robe à bretelles en tissu vichy rose.

Chloé secoue la tête, effarée. Elle ne s'imagine absolument pas porter ce style de tenue ! À chaque nouvelle proposition, c'est la même réaction. Chloé se dit qu'à force, Léa va bien finir par se décourager. Mais non.

– Allez, Chloé. Fais un petit effort. Je suis sûre que tu peux trouver une robe qui te convient.

– Ça, ça m'étonnerait, marmonne la jeune fille, bras croisés.

Léa pose une main sur son épaule.

– Tu n'as pas envie de faire une surprise à ta mère pour son retour ?

L'argument touche Chloé. Le retour de sa mère, elle l'attend avec tellement d'impatience. Elle essaie de ne pas trop compter les jours – parce qu'elle a remarqué que le temps passait encore plus lentement lorsqu'elle faisait cela –, mais elle y pense constamment.

– Bon, d'accord. Mais je veux quelque chose qui me ressemble.

– Pas de problème ! Tu sais comment on me surnomme à la rédaction du journal ? La fouineuse infernale !

Chloé éclate de rire. Elle a l'impression de discuter avec une copine. Une copine d'un mètre quatre-vingts, aux cheveux courts et au visage rayonnant.

Tout en chantonnant, Léa passe en revue plusieurs vêtements sur les portants, avant de trouver ce qu'elle cherchait : une robe en jean à manches courtes, boutonnée sur le devant.

– Pas mal, faut voir, décrète Chloé, toujours méfiante. Mais ne te fais pas trop d'illusions. Je suis sûre que je vais ressembler à un sac là-dedans.

Tandis qu'elle se dirige vers la cabine d'essayage, elle se met à rêver. Des retrouvailles avec sa mère, de ses « Oh, comme tu as grandi, ma chérie ! ». De la tête ébahie de Yannis aussi, en la voyant débarquer lundi, dans sa nouvelle tenue... Mais une fois changée, Chloé se sent étriquée et affreusement mal à l'aise. Léa lui parle de l'autre côté du rideau.

– Alors, ça y est, ma puce ? Tu l'as enfilée ?

– Ouais, mais je suis carrément affreuse… Je crois que tu devrais laisser tomber l'idée de la robe.

Sa tante passe la tête dans la cabine.

– Waouh ! Tu es belle…

Elle paraît si émue que Chloé se surprend à sourire face à son reflet. Cette tenue ne lui va peut-être pas si mal que ça, finalement… Au même instant, son portable vibre dans son jean posé par terre. Elle se baisse pour prendre l'appareil.

– Maman ?

# Chapitre 2

## La désillusion

Coucou, Chloé.
Tu vas bien ?
Qu'est-ce qui se passe ?
Pourquoi tu ne m'as pas
répondu, hier soir ?
Je t'ai envoyé des
dizaines de messages !
Je m'inquiète !
Réponds-moi, s'il te plaît !
J'essaierai de t'appeler
plus tard, sinon.

Désolée, Kim... Je n'avais pas envie de discuter. Ma mère ne pourra pas venir, finalement. Son producteur veut qu'elle enchaîne avec une autre tournée, aux États-Unis cette fois. Il dit que c'est le moment ou jamais, et qu'elle ne doit pas rater une telle opportunité. Bla-bla-bla. Enfin, tu vois le tableau. Quand elle m'a appelée, j'étais trop dégoûtée, tu ne peux pas savoir ! Mais j'ai fait comme si je comprenais. Je ne voulais pas lui faire de peine.

Oh non !!! C'est dur... Tu fais quoi, là ? Normalement, j'ai promis à mon père de l'aider à nettoyer le jardin, mais je peux venir chez toi, si tu veux ? On pourra bavarder, regarder une série, ou alors, essayer des vêtements, se maquiller et défiler comme des top-modèles ? Ça te changerait les idées.

C'est super gentil, mais ne t'en fais pas. En plus, ton père compte sur toi.

Tu es sûre ?

Hier, j'étais mal, j'avoue.
Mais là, ne t'inquiète pas,
ça va mieux :-)
Bisous, et à demain.

Chloé ne veut pas ennuyer Kim, avec sa tête d'enterrement. Elle passe son dimanche avec la seule personne autorisée à la voir dans cet état : Anatole. Les animaux ne vous jugent pas. Ils ne vous laissent jamais tomber non plus. Ils restent fidèles. Le soir, ils attendent patiemment votre retour, et vous savez que, quoi qu'il arrive, vous pouvez compter sur eux. Pas tout à fait comme les êtres humains.

La tête enfouie dans son oreiller, elle verse quelques larmes supplémentaires, son lapin blotti contre elle. Puis elle se sent en colère.

– Tu as raison, Anatole. Je dois arrêter de me comporter comme une gamine ! Je te promets d'arrêter de pleurer… demain.

Le joli rêve de Chloé s'est écroulé. Sa robe gît en boule sur son lit – et elle va sûrement y croupir jusqu'à la nuit des temps.

En fin d'après-midi, sa mère l'appelle. Chloé décroche, mais elle met vite fin à la conversation en prétextant des devoirs à faire. Lorsque son père lui demande gentiment de descendre dîner, elle invente un mal de ventre. Il ne dit rien. Pourtant, il doit être au courant, tout comme Judith, qui n'est pas venue la chercher pour son cours de soutien.

Le lundi, dans le bus, elle s'efforce de faire bonne figure. Elle n'a pas envie

d'embêter les autres avec ses histoires. Kim lui raconte son week-end.

– Samedi, j'ai donné un coup de main à ma mère derrière les bacs. Carole, une des clientes, a dit que j'avais des doigts de fée. Tu te rends compte, j'ai même eu des pourboires ! Il faudra que tu viennes au salon, un samedi, avec Pauline, ce serait cool de shampouiner toutes ensemble !

– Pourquoi pas ! répond Chloé, en souriant.

Elle devine que son amie cherche surtout à la distraire.

– Hier, comme je te l'ai dit, c'était au tour de mon père, poursuit Kim. Je l'ai aidé dans le jardin, et franchement, on a bien rigolé. Je suis tellement nulle qu'il était en mode désespéré. Après avoir hurlé en découvrant un ver de terre, j'ai confondu la bêche avec le râteau, et...

Elle continue de parler, et Chloé la regarde, l'esprit ailleurs. Depuis qu'elle a appris que sa mère ne reviendra pas à la date prévue, elle a la poitrine serrée. Ça l'atteint exactement là où ça l'avait blessée lorsque ses parents se sont séparés.

Avant, lorsque Chloé était toute petite et qu'ils vivaient encore tous les trois, Anne-Sophie partait peu en tournée. Maintenant, c'est comme si plus rien ne la retenait. Il n'y a que Chloé…

Comme d'habitude, Mattéo et Yannis montent à l'arrêt suivant. À peine le véhicule redémarré, Mattéo abandonne son ami pour rejoindre Chloé. Il demande au garçon assis de l'autre côté de l'allée centrale de changer de place, sans se préoccuper du regard agacé qu'il lui jette.

– Salut, les filles ! lance Mattéo, dès qu'il est installé. Ce week-end, j'ai vu un film génial avec ma sœur. Vous voulez que je vous raconte ?

Il n'attend pas la réponse.

– Alors, voilà, c'était l'histoire d'un type, qui…

Il explique en détail le scénario et imite les personnages – même les voix féminines, ce qui est vraiment très drôle, et qui, en temps normal, aurait fait beaucoup rire Chloé.

Mais ce jour-là, elle doit déployer des trésors d'efforts, rien que pour sourire. Attentif, Mattéo ne tarde pas à le remarquer.

– Tu vas bien, Chlo' ?

– Oui, oui. J'ai juste un peu mal au ventre euh… à cause du devoir de maths.

À midi, à la cantine, elle chipote dans son assiette, tandis que ses amies n'arrêtent pas de discuter. Pauline l'observe, les sourcils froncés.

– Tu n'as pas faim ? J'ai l'impression que tu ne vas pas bien aujourd'hui. Tu n'es pas comme d'habitude.

Gênée, Chloé sent le regard de Kim posé sur elle.

– C'est juste que j'ai… mal au ventre.

Chloé aimerait bien lui avouer la vérité – après tout, Pauline est son amie –, mais elle n'a pas encore trouvé le bon moment. Ce matin, en cours,

c'était compliqué. Et dans les couloirs, il y a toujours des oreilles qui traînent.

L'après-midi commence par une heure d'histoire-géo avec monsieur Belami. Un professeur assez âgé, avec une tignasse grise et frisée, et de petites lunettes qu'il cherche continuellement – alors qu'elles sont sur sa tête. Certains dans la classe le surnomment le Vieux. Mais Chloé aime la façon dont monsieur Belami se sert de son imagination pour raconter le passé. On a l'impression qu'il vit sur une autre planète.

Chloé le comprend. Dans le vrai monde, les gens peuvent être si décevants, parfois… Le professeur arrive en retard, comme toujours. Ses cheveux sont en bataille, et son costume à carreaux a l'air de sortir d'une autre époque.

– Bonjour à tous ! s'écrie-t-il, en laissant tomber ses feuilles.

Vague de rires dans la salle. Monsieur Belami se baisse pour ramasser les papiers éparpillés à ses pieds. Adrien en profite pour lui lancer une gomme. Le professeur se relève d'un bond, le visage rouge.

– Qui a fait ça ?

Bien sûr, personne ne répond. Ensuite, monsieur Belami aperçoit le dessin sur le tableau. Une sorte de gnome ridicule avec une chevelure hirsute et des lunettes. Sans dire un mot, il attrape l'éponge pour l'effacer. Chloé a de la peine pour lui.

– Bon, maintenant, écoutez-moi bien, mes chers élèves, et autres petits plaisantins qui se croient malins...

Il rive ses yeux sur Adrien, qui grimace.

– À la rentrée, ajoute-t-il, je vous avais parlé d'une sortie pédagogique à Paris, organisée avec les autres classes de sixième. Eh bien, finalement, la sortie aura lieu beaucoup plus tôt que prévu. En effet, un centre de vacances, situé en Seine-et-Marne, nous a proposé un prix très avantageux si nous réservons rapidement...

Au fil de ses explications, Chloé sent la joie l'envahir peu à peu, et chasser sa tristesse. Pauline affiche, elle aussi, un immense sourire. Pendant qu'elles se murmurent des « C'est trop génial ! » à n'en plus finir, monsieur Belami poursuit.

– … donc, je vous annonce que notre sortie aura lieu… en fin de semaine prochaine ! C'est un délai exceptionnellement court, mais comme je vous l'ai dit, cela nous permet d'avoir un tarif défiant toute concurrence. Ainsi, la participation des parents ne s'élèvera qu'à 45 euros, pour le trajet en car, deux nuits sur place, les petits déjeuners et les dîners, ainsi que les visites. Imbattable ! s'exclame le prof, avec un hochement de tête qui fait glisser ses lunettes.

À cet instant, Mattéo blêmit. Il avait la même expression, le jeudi précédent, lorsque le prof de sport a demandé aux élèves d'apporter une paire de baskets neuves pour les prochains cours en salle. Chloé croit savoir que son père est au chômage. Après une profonde inspiration, elle lève la main.

– Monsieur, en tant que déléguée, je tiens à signaler que certains parents peuvent avoir des difficultés pour payer cette somme.

Des têtes se retournent sur elle – dont celles de Rose et Violette. Elle essaie de ne pas rougir. Le professeur se gratte la tempe.

41

– Je vais voir ça avec la directrice, mais *a priori*, je pense qu'il y aura moyen de régler en plusieurs fois, en cas de besoin.

Mattéo retrouve le sourire…

# Chapitre 3

## Le grand départ

Les jours suivants filent en un éclair. Les filles ne parlent que d'une chose : la sortie à Paris. Kim prend un temps fou à choisir les vêtements qu'elle va emporter – sans parvenir à se décider. Consciencieuse, Pauline écume les bibliothèques à la recherche de livres sur la ville et ses musées. Chloé, quant à elle, se réfugie dans ses rêves… Elle pense au long trajet avec ses copines, aux soirées géniales qu'elles vont passer, ensemble – sans les parents. Bien sûr, Yannis n'est jamais loin. Dans le car, il vient lui parler. Et plus tard, il l'invite même à danser. Elle a beau savoir que la vie n'est pas un conte de fées, qu'il y a un tas d'autres filles bien plus jolies qu'elle, rêver lui fait du bien.

Elle est déjà allée en classe de mer, avec Kim – en CE2. Mais c'était différent à l'époque. Elles étaient plus petites, leurs parents leur manquaient beaucoup, et aucune soirée d'élèves ne figurait au programme…

Le départ arrive enfin, sec et ensoleillé. Après un rapide au revoir à son

père, Chloé jette son sac dans la soute du car, et fonce s'asseoir, le cœur battant. Vêtue d'un combi-short rose, avec des collants, des baskets à talons compensés, une veste bomber, et un gros nœud en tulle dans les cheveux, Kim s'installe près d'elle, Pauline juste derrière. Par chance, les sixièmes B et les sixièmes D se retrouvent dans le même véhicule, avec monsieur Belami – leur professeur commun – et Benjamin, le jeune prof de « sciences et biotechnologies ». Judith n'est pas du voyage.

Les filles sont si excitées qu'elles ne peuvent pas s'arrêter de rire et de bavarder.

Quelques minutes plus tard, le téléphone de Chloé les interrompt. Un message de son père.

Ça va, ma puce ? Tout à l'heure, j'ai oublié de te dire : surtout, fais bien attention aux pickpockets. J'ai vu à la télé qu'il y en avait beaucoup, près des sites touristiques parisiens.

Ces derniers jours, il s'est évertué à remonter le moral de Chloé. Il l'a emmenée au bowling, alors qu'il a toujours détesté cela. Le dimanche midi, ils sont allés déjeuner chez Annou et Daddy – les grands-parents maternels de Chloé –, avant de se rendre dans un parc d'accrobranche. La jeune fille a adoré. L'espace d'un moment, elle a presque failli oublier la trop longue absence de sa mère. Presque.

Le matin, au petit déjeuner, Victor a pleuré. Chloé l'a consolé à grand renfort de chatouilles et de baisers. Elle lui a aussi demandé de s'occuper d'Anatole. Victor, fier qu'on lui confie une si haute responsabilité, a vite séché ses larmes.

Mais oui, papa, ne t'inquiète pas. Allez, je te dis à samedi. Et arrête de t'en faire ! Tout va bien se passer. Je suis grande, maintenant. Pas la peine de m'appeler toutes les cinq minutes.

Tu as raison. Je te souhaite un beau voyage, ma fille. Profites-en bien. Je t'embrasse.

Le car rejoint l'autoroute. Quelques rangs devant, Chloé aperçoit les cheveux blonds de Yannis. Pour une raison mystérieuse, Mattéo n'a pas cherché à venir s'asseoir auprès des filles… Dans l'autre rangée, Rose discute avec Claire – ou plutôt, Rose parle, tandis que Claire l'écoute. Violette, souffrante paraît-il, n'a pas pu venir. Et, tout devant, Lili observe le paysage, tandis que Marianne lutte contre son mal des transports. L'animation est assurée par

Adrien, qui trouve ça drôle de brailler des chansons débiles à tue-tête. On est lourd jusqu'au bout, ou on ne l'est pas.

— Tiens, tiens, on dirait que le BG t'intéresse… murmure Kim à l'oreille de son amie.

Chloé sursaute, démasquée. Le BG — autrement dit, le Beau Gosse —, c'est le surnom que Kim a donné à Yannis,

et qui permet de pouvoir parler de lui en toute discrétion.

– N'importe quoi !

– Arrête ! Je vois bien comment tu le regardes.

– Ben quoi ? Je le regarde avec mes yeux, rétorque Chloé en écarquillant ses prunelles.

Derrière elles, Pauline a abandonné son ouvrage sur le musée du Louvre, pour aller aux toilettes. Chloé en vient à aborder un problème qui l'inquiète au plus haut point. Elle préfère se confier maintenant, loin des oreilles de Rose – et de Yannis.

– C'est super, la soirée organisée pour les élèves. Mais je n'ai jamais dansé avec un garçon, moi, chuchote-t-elle, très bas. Je ne sais pas du tout comment on fait. La honte.

Bien sûr, elle a déjà vu des couples danser, mais entre la théorie et la pratique, il y a une énorme différence ! Faut-il se tenir la main ? À quelle distance se placer l'un de l'autre ? Pour Chloé, cela paraît encore plus compliqué qu'un problème de monsieur Schwartz, le prof de maths.

– La fête, c'est demain. Ce soir, quand on sera dans notre chambre, je te montrerai, lui promet Kim.

– Merci… Mais bon, je ne sais pas encore si je vais danser. C'est juste au cas où. Enfin, tu vois.

– Oui, oui, je vois très bien, répond son amie sur un ton amusé.

Leurs rires complices fusent. Pendant ce temps, Pauline a repris sa place sans qu'elles s'en rendent compte.

– Pourquoi rigolez-vous ? demande-t-elle, tout sourire, en passant la tête entre les sièges.

– Chloé veut inviter le BG à danser, demain, explique Kim.

Chloé lève les yeux au ciel.

– Je n'ai jamais dit ça ! Je ne suis même pas sûre d'avoir envie de danser.

Elles entendent des ricanements. Adrien s'est fourré des mouchoirs dans les narines, et s'amuse à surprendre

les filles assises juste derrière lui, en poussant des hurlements. Au secours. Pauline secoue la tête, profondément consternée.

– Eh bien, moi, j'adore danser. Mais si jamais cette andouille d'Adrien s'approche de moi, je vous jure, je fuis à toutes jambes !

Les trois amies rient de plus belle…

Ils atteignent Paris en début d'après-midi. La première visite se déroule à la Cité des Sciences, où se tient une grande exposition sur le thème de l'environnement. Un sujet que Kim connaît bien, puisque son père travaille comme ingénieur dans une usine de recyclage. Elle sait tout du « bilan carbone » ou de « l'émission des particules fines », et elle ne manque pas de le faire savoir.

– Donc, là, on vous explique comment fonctionne un panneau photovoltaïque, commente-t-elle.

Partout, il y a des animations 3D et des maquettes amusantes qui captivent les élèves. Le groupe se dirige ensuite vers une salle où est entassée une impressionnante montagne de déchets. Sur un écran, on explique qu'il s'agit des ordures jetées par une famille, en seulement une année. Chloé a du mal à en croire ses yeux.

– Voilà pourquoi avec mes parents, on a décidé d'acheter un maximum d'aliments en vrac, indique Kim. Les emballages en plastique peuvent subsister des centaines d'années dans la nature et au fond des océans ! Ils tuent les tortues, les dauphins, et...

Soudain, elle s'arrête en entendant une voix.

– Merci mademoiselle, intervient Benjamin, le visage souriant derrière ses lunettes. C'est très bien de s'intéresser à l'environnement. Mais je crois que c'est plutôt mon rôle de jouer le guide, vous ne trouvez pas ?

– Euh... oui, bien sûr, balbutie Kim.

Les trois amies s'éloignent en pouffant. Chloé a une petite pensée pour son père. Même s'il ne lui a rien dit, elle sait qu'il n'aime pas la voir malheureuse, et qu'il s'inquiète pour elle.

– Les filles, on fait un *selfie* ?

Comme pour lui répondre, Kim attrape le téléphone des mains de son amie. *Clic !*

La photo est parfaite ! Chloé s'empresse de l'envoyer à son père, avec

comme légende : « Avec mes meilleures copines *forever*, à la Cité des Sciences ».

Tandis qu'elles continuent la visite, Rose se tient immobile dans un coin, le regard perdu. On dirait qu'elle va se mettre à pleurer. Chloé hoche le menton dans sa direction.

– Eh, j'ai l'impression que Rose ne va pas bien. On devrait peut-être aller la voir ?

Kim écarquille les yeux, effarée.

– Tu rigoles ? Après tout ce que les jumelles t'ont fait, tu ne vas quand même pas être sympa avec elles !

Chloé esquisse une moue.

– Je ne sais pas… Elle est super pénible, c'est vrai, mais là, elle me fait un peu pitié.

– Crois-moi, si tu fais ça, elle te prendra pour la dernière des cruches ! affirme Kim. T'en penses quoi, Pauline ?

– Sans doute… acquiesce doucement cette dernière.

Convaincue, Chloé passe un bras sous ceux de ses amies.

– Vous avez raison. Je ne sais vraiment pas ce qui m'est passé par la tête.

La soirée du lendemain s'annonce géniale. Pourquoi se soucier d'une fille qui ne l'aime pas et qui lui rend la vie impossible ?

Pendant ce temps, Mattéo immortalise tous les moments forts de la journée en prenant plein de photos : devant la Géode – une sorte de gigantesque boule à facettes, renfermant un cinéma ; à leur arrivée au centre de vacances ; plus tard, lors du dîner, où Rose – visiblement remise de son coup de blues – s'en prend à Lucie, une fille un peu ronde, que Chloé ne peut s'empêcher de défendre.

Une fois le petit groupe arrivé au centre de vacances, Mattéo réalise un dernier cliché du trio, souriant comme jamais, dans le couloir menant aux chambres…

# Chapitre 4

Le chagrin
de Rose

Alors qu'elle déballe ses affaires sur son lit, Chloé n'en revient toujours pas. C'est un vrai film d'horreur ! Comment Pauline et elle se retrouvent-elles dans la même chambre que Rose ? Elle revoit la scène dans sa tête. Monsieur Belami répartissant les élèves. Elle, le suppliant de bien vouloir permettre à Kim de changer de chambre. Le professeur refusant obstinément de l'écouter.

Dire qu'elle l'aimait bien, avant. Elle le trouve subitement beaucoup moins sympathique. Kim a dû s'en aller de son côté avec deux autres filles de sa classe.

Chloé est furieuse. Tous ses projets tombent à l'eau. Avec Rose dans les parages, Pauline et elle ne pourront pas discuter librement. Et Kim ne viendra pas lui apprendre à danser, non plus. Chloé pourrait demander conseil à Pauline, mais Rose en profiterait sûrement pour se moquer d'elle. Comme d'habitude.

Parmi toutes les sixièmes, pourquoi fallait-il que Chloé tombe justement sur celle qu'elle ne peut pas voir

en peinture ? Pauline est tout aussi déçue. Elle déplie sa jolie chemise de nuit bordée de dentelle, et sort sa trousse de toilette, en se mordillant la lèvre.

La chambre est belle pourtant – et, luxe inespéré, elle dispose d'une douche attenante. La fenêtre donne sur le parc où se dresse un océan d'arbres. Même de loin, on entend la musique des feuillages qui ondulent doucement au gré de la brise. En fermant les yeux, Chloé a l'impression d'être au bord de la mer. Tout serait tellement chouette, si Kim était avec elle… et si Rose pouvait disparaître !

La jumelle s'est ruée sur le lit superposé – sans même demander si cela dérangeait les autres. Après avoir passé une éternité dans la salle de

bains, elle s'est allongée et a vissé son casque sur ses oreilles. Elle non plus ne semble pas apprécier leur compagnie. Elle aurait sans doute préféré être avec Claire.

Une fois son pyjama enfilé, Chloé va ouvrir la fenêtre. Elle se retourne vers Pauline, occupée à lire. Sur le lit du haut, Rose a fermé les yeux, et elle respire lentement.

– Pauline, viens voir, il y a un balcon ! chuchote Chloé, en surveillant la jumelle du coin de l'œil.

On ne sait jamais, elle pourrait très bien faire semblant de dormir pour mieux les espionner. Pauline gagne à son tour le balcon. Chloé tire la porte-fenêtre derrière elles. Au moins, elles vont pouvoir bavarder sans être écoutées par qui-on-sait.

– C'est dingue ! soupire Pauline, en s'appuyant contre la rambarde. Quand je suis avec mes frères, je n'ai qu'une envie : être enfin seule pour avoir la paix. Et quand je suis loin d'eux, ils me manquent. Tu y crois, toi ?

Chloé sourit. Elle a peut-être enfin trouvé l'occasion de lui confier ce qu'elle a sur le cœur. Cela fait des jours qu'elle y pense.

– À propos, je voulais te dire un truc… Tu sais, l'autre lundi, quand tu as remarqué que je n'étais pas comme d'habitude, à la cantine…

Elle raconte l'appel de sa mère, son chagrin mêlé de colère, son cœur brisé…

Pourquoi ne m'as-tu rien dit ? s'étonne Pauline.

– J'avais honte… Tu comprends, ta famille à toi, elle est tellement parfaite comparée à la mienne.

Pauline passe un bras autour de ses épaules.

– Elle n'est pas parfaite. Et puis, tu n'as pas à avoir honte. On est censées pouvoir tout se dire, non ? Je ne suis pas juste ta copine quand tout va bien.

Je suis là aussi quand ça ne va pas. Ne l'oublie plus, d'accord ?

Chloé la regarde, émue. Si elle avait encore quelques doutes, une chose est désormais sûre dans son esprit : Pauline est son amie.

Il est très tard. Endormie, Chloé rouvre les yeux. Elle croit avoir entendu un bruit dans la chambre. Une sorte de reniflement. Elle se redresse et chasse les mèches de cheveux qui lui chatouillent le visage. La pièce est plongée dans la pénombre, mais le clair de lune perce à travers les doubles-rideaux. Le bruit provient du lit de Rose. Elle est en train de pleurer tout bas, tandis que Pauline sommeille à poings fermés. Chloé hésite. D'un côté, elle n'a pas très envie d'aller réconforter celle qui lui en fait voir de toutes les couleurs depuis la rentrée. Kim l'a prévenue : si elle se montre gentille, les jumelles la prendront pour une idiote. Et c'est bien la dernière chose que Chloé voudrait !

De l'autre côté, elle sait ce qu'on éprouve lorsqu'un être cher vous manque… C'est une douleur qui vous presse le cœur comme un citron, et qui ne part jamais. Et puis, elle n'aime pas voir des gens malheureux – elle doit sûrement tenir cela de son père.

Chloé se lève et grimpe sans bruit l'échelle menant au lit de Rose.

– T'as un problème ? demande-t-elle, plus sèchement qu'elle ne l'aurait voulu.

C'est plus fort qu'elle. Cette fille lui sort par les yeux. Chloé s'attend à ce que Rose la rabroue sans ménagement. Ou alors, qu'elle lui jette son oreiller à la figure. Quelque chose comme ça.

– Occupe-toi de tes affaires, lance-t-elle.

– J'ai cru qu'on pourrait parler, genre comme des gens civilisés ! s'énerve Chloé, en colère autant contre Rose que contre elle-même. Tant pis pour toi !

Elle est sur le point de redescendre, mais elle sent soudain une main sur son bras. Rose s'est retournée, et elle la regarde.

– Je ne suis jamais allée nulle part sans Violette. Elle me manque…

Des larmes coulent sur ses joues. Ses cheveux blonds noués en une grosse tresse lui donnent un air moins sophistiqué que d'habitude. Plus doux.

– On fait toujours tout ensemble, depuis qu'on est nées. Les sorties, le sport, les cours, les séances photo…

– Vous êtes modèles ? interroge Chloé, que cela n'étonne pas vraiment.

Les jumelles sont belles, sûres d'elles, et dans les couloirs du collège, elles se prennent déjà pour des stars. En y réfléchissant, Chloé se dit qu'elles ont tout de la peste-type que l'on peut voir dans les séries télé. Sauf que dans la vie, les gens ne sont jamais ni tout noirs, ni tout blancs.

– Ma mère nous a inscrites dans une agence. Plus tard, Violette voudrait devenir mannequin professionnel.

– Et toi ? C'est ce que tu as envie de faire ?

Cette question semble surprendre Rose, qui bat des paupières.

– Je ne sais pas… J'aime tout ce que Violette aime.

Soudain, son regard change, comme si elle regrettait d'en avoir trop dit. Les lèvres pincées, elle se tamponne les joues avec un mouchoir, avant de poursuivre :

– Tu ferais mieux d'aller dormir, la chouchoute, sinon tu auras des cernes très moches, demain matin.

Chloé grimace. On dirait bien que la discussion est terminée. Bizarrement, elle s'arrête juste au moment où la jeune fille aurait aimé qu'elle continue. L'espace d'une conversation, elle a cru entrevoir une faille dans l'armure de Rose. La jumelle aurait-elle un cœur, finalement ? En redescendant l'échelle, Chloé chuchote :

– Quand ma mère me manque trop, je pense à la joie que je vais ressentir en la retrouvant. Ça m'aide à tenir.

Pas de réponse. Tout juste un souffle, lorsque Chloé ne s'y attend plus.

– Merci…

# Chapitre 5

Une journée
bien remplie !

— Allez, Chloé, juste une petite chanson, pour me faire plaisir ! insiste Mattéo, dans le car. Montre-nous un peu ce que vous apprenez en option musique. Depuis le temps que tu nous en parles !

Cela fait vingt minutes qu'ils ont quitté le centre de vacances, en direction de Paris. Vingt minutes que Mattéo demande à Chloé de chanter. Avec Yannis, ils se sont assis dans le fond, juste à côté des filles. Chloé soupire.

– Tu risques d'être déçu, tu sais.

– Je ne pense pas, répond Mattéo d'un air très sérieux. De toute façon, ça ne pourra jamais être pire que les cris d'Adrien.

Les amies rigolent. Pauline donne un petit coup de coude dans le bras de Chloé.

– Et si je chante avec toi ?

Chloé ose à peine tourner la tête vers Yannis, dont elle peut sentir le regard posé sur elle. Elle rosit.

– OK…

Les filles commencent à fredonner un titre en anglais, et, peu à peu, Chloé oublie le reste du monde. Elle oublie qu'elle se trouve dans un car, rempli d'élèves susceptibles de la juger. Elle s'envole loin, loin, dans une bulle où rien ne peut l'atteindre. Elle fait quelques fausses notes, et alors ? Son cœur bat au rythme de sa voix, elle ferme les paupières… Elle ne s'aperçoit même pas que Pauline a arrêté de chanter depuis longtemps. Lorsqu'elle s'en rend compte, elle rouvre grand les yeux, stupéfaite.

– C'était génial ! la félicite Mattéo.

Kim et Pauline applaudissent. Comme d'habitude, Yannis se contente d'un léger sourire.

Le matin, ils vont visiter le monument le plus célèbre et le plus emblématique de Paris : la tour Eiffel. Avant de grimper au sommet de la Grande Dame de Fer, Rose se vante auprès de Claire.

– Je connais cette ville par cœur. Avec ma mère et ma sœur, nous y venons très souvent pour des séances photo. D'ailleurs, nous en avons fait une ici même, le mois dernier. C'était pour un site de vente de vêtements en ligne. Il fallait avoir l'air naturel, tout en ayant de la classe, un peu comme ça…

Tandis qu'elle se dandine, un artiste de rue s'amuse à l'imiter, à son insu. Il se tortille en passant une main dans ses cheveux, le menton levé. À mourir de rire ! D'ailleurs, Chloé et ses amies ne s'en privent pas. Rose finit par les remarquer.

– Ben quoi, la bande de jalouses ? Qu'est-ce qui vous fait rire ?

Sans un mot, Claire désigne le mime fardé de blanc qui, comme Rose, a posé les mains sur ses hanches et froncé les sourcils. La jumelle se retourne et devient rouge framboise.

– Vous trouvez ça drôle ? s'énerve-t-elle.

– Oh, oui ! répond Chloé, entre deux éclats de rire.

La conversation qu'elles ont eue durant la nuit n'a rien changé. Rose est toujours aussi prétentieuse et insupportable. Mais, dorénavant, Chloé se dit que c'est peut-être seulement une apparence qu'elle se donne…

Le soleil brille et, après avoir admiré Paris vu d'en haut, tout le petit groupe pique-nique dans le parc qui s'étale, telle une longue nappe, au pied de la tour Eiffel. Juste avant de partir, Chloé demande à Lucie de les prendre en photo, Kim, Pauline, Mattéo, Yannis et elle. Puis elle écrit un message à sa mère. Le premier depuis le début du voyage.

Kim et mes autres amis que tu ne connais pas encore. Vivement que tu puisses les rencontrer.

Dans la foulée, elle envoie aussi le cliché à sa tante.

Un p'tit coucou de Paris !

Avoir discuté avec Pauline lui a fait du bien. Léa répète souvent que partager sa peine permet de la rendre plus légère. Chloé se dit qu'elle a peut-être raison. Après, elle préférerait quand même que sa mère soit près d'elle, plutôt qu'à des milliers de kilomètres…

L'après-midi est consacré à la visite du musée du Louvre – le musée qui fait tant rêver Pauline. Il est aussi splendide, immense et fantastique qu'elle l'avait imaginé. Elle voudrait pouvoir passer des heures à admirer chaque œuvre, en détail. Sans perdre un instant, monsieur Belami les conduit vers les salles consacrées aux antiquités grecques et romaines. Pauline pousse un concert de « Oh ! », « Waouh ! ». Pour elle, cet endroit est un paradis.

Chloé, elle, est absorbée… Non pas par les commentaires du professeur qui l'ennuient un peu, mais par la soirée à venir !

Quant à Kim, ce qui l'impressionne le plus, c'est que ces antiquités soient toujours aussi belles au bout de deux mille ans. Elle se demande ce que le monde actuel laissera aux générations futures. Des tas de déchets ?

Soudain, tandis que les filles tombent en admiration devant la *Vénus de Milo* – une statue féminine dont on n'a jamais retrouvé les bras –, Kim plaisante.

– Je crois qu'elle non plus ne voulait pas danser avec Adrien !

Leurs éclats de rire résonnent dans la salle. Puis la visite se termine, à la grande déception de Pauline. Elle aurait tellement voulu rester plus longtemps. À force d'insistance, elle réussit à convaincre le professeur d'aller voir rapidement quelques toiles de maîtres. *La Joconde* la laisse sans voix. Chloé et Kim sont moins enthousiastes. Elles avaient imaginé quelque chose de plus spectaculaire – comme les autres tableaux immenses qui recouvrent les murs, par exemple.

Avant de rejoindre le car, les élèves peuvent s'offrir des souvenirs dans la boutique du musée. Mattéo prend une carte postale pour sa sœur aînée, Audrey, dont il parle beaucoup. Près de la tour Eiffel, Chloé, elle, a déjà acheté une surprise pour

Victor : un adorable ours en peluche, avec « *I love Paris* », écrit dessus. En le voyant, elle a tout de suite pensé à son petit frère. Comme toujours, Kim n'arrive pas se décider, si bien qu'à la fin, elle choisit au hasard, un stylo pour son père, et un mug *Joconde* pour sa mère. Pauline doit trouver un cadeau pour chacun de ses frères et sa petite sœur. Ça fait cinq souvenirs au total à rentrer dans son budget.

Elle est la dernière à aller régler ses articles. Chloé et Kim l'attendent dehors. Puis, alors que Pauline rejoint ses deux amies, Adrien s'approche. Il a les mains cachées derrière le dos. À peine plus grand qu'elle, il porte une veste de survêtement à capuche et un jean. Depuis la rentrée, Pauline ne l'a jamais vu habillé autrement. Ni bien coiffé non plus. Ses cheveux noirs sont toujours remplis d'épis. Difficile de faire plus négligé.

— Devine ce que je tiens, et je te le donne, promet Adrien, avec un clin d'œil.

La jeune fille lève les yeux au ciel. Au loin, ses amies font de grands « non » affolés, en secouant la tête.

— C'est encore une de tes blagues archinulles, je suppose. Je n'ai pas que ça à faire, mes copines m'attendent, réplique Pauline, en s'éloignant.

Il la rattrape, puis murmure, en triturant ses cheveux, d'un air penaud.

— Mais non… C'est pour toi. Parce que je sais que tu aimes bien lire.

Il lui donne un petit sachet, avec un ruban en bolduc. Un cadeau. Pauline tombe des nues. À l'intérieur, elle découvre un délicat marque-page en métal argenté, orné d'un pompon ressemblant à ceux des rideaux. Elle est si stupéfaite qu'elle ne sait pas quoi dire. Elle regarde Kim et Chloé, affreusement gênée.

– Euh… merci, bredouille-t-elle à Adrien.

Puis elle rejoint ses amies, le plus vite possible, son cadeau à la main…

# Chapitre 6

Que la fête commence !

Il est bientôt vingt heures trente, et Chloé hésite à sortir de la salle de bains. Elle sait que Kim et Pauline l'attendent avec impatience dans la chambre – Rose a préféré aller se changer dans celle de Claire. Personne ne l'a retenue.

Chloé se regarde dans le miroir, indécise. Ne ferait-elle pas mieux d'enlever sa robe en jean – celle que Léa lui a offerte –, et de choisir une tenue plus confortable ? Une tenue dans laquelle elle se sentirait moins ridicule ? Kim lui a lissé les cheveux et Pauline l'a maquillée. La robe, c'est la dernière étape de sa métamorphose. Enfin, c'est le mot qu'a employé Kim, lorsqu'elle la préparait. Chloé a plutôt l'impression d'être déguisée. Elle déteste

qu'on voie ses genoux. Et elle n'arrive pas à marcher avec les chaussures prêtées par Pauline – même si ce sont de simples ballerines toutes plates.

– Chloé, sors maintenant ! lui crie Kim. Sinon, on va rater le début de la fête ! Et tu ne pourras jamais danser avec le BG. Tu le regretteras toute ta vie, crois-moi.

Avec un soupir, son amie pousse finalement la porte. Quand il faut y aller...

– Tu es super belle, s'exclame Pauline, assise sur son lit.

Pauline a détaché ses longs cheveux blonds qui tombent en cascade sur son dos. Dans sa robe blanche vaporeuse, elle a l'air d'un ange. Kim a choisi un chemisier avec des perles cousues sur le col et les épaules, et une jupe en daim mauve, qui lui vont à merveille. Pour une fois, elle a laissé sa belle chevelure noire bleutée sans aucun accessoire – hormis une petite barrette en strass sur le côté. Elle semble tout droit sortie d'un magazine de mode. Chloé se sent banale à côté d'elles, et elle se dit que ses copines auraient de l'allure dans n'importe quelle tenue – même avec un sac poubelle.

– Merci, répond timidement Chloé.

Assise sur le lit de Pauline, Kim applaudit.

– Jolie comme ça, le BG va sûrement craquer !

– On verra bien, répond Chloé, en haussant les épaules.

Lors du trajet de retour au centre, plus tôt dans la soirée, Yannis a discuté avec elle. Ensemble, ils ont

parlé de leurs passions pour le sport, de leurs prochaines compétitions… Si bien qu'en sortant du car, un bourgeon d'espoir a éclos dans le cœur de Chloé. Mais elle préfère toutefois ne pas trop s'emballer.

– Je crois plutôt qu'il va inviter l'une de vous deux, ajoute-t-elle, doucement.

Kim se lève et pose une main sur son cœur.

– Je te jure sur ce que j'ai de plus cher, que jamais je ne danserai avec lui, même s'il se jette à mes pieds pour me supplier !

– Moi non plus, jure Pauline à son tour.

Chloé les remercie d'un sourire. Ses yeux tombent sur

l'ouvrage que Pauline est en train de lire, et qui est posé sur sa table de nuit. Le marque-page métallique dépasse un peu, le pompon rouge a été soigneusement placé sur la couverture…

– Je n'aime pas beaucoup Adrien, mais c'était quand même gentil de t'acheter un cadeau. En plus, il l'a choisi spécialement pour toi. Je trouve ça vraiment cool.

Chloé n'est pas jalouse. Elle aime-rait juste qu'un jour, un garçon lui offre aussi quelque chose… Quelque chose qui ferait accélérer son cœur, et qu'elle garderait précieusement comme un trésor. Quelle fille n'en rêverait pas ?

– C'est même super romantique, approuve Kim.

Pauline ne répond pas tout de suite puis finit par avouer :

– Peut-être… Mais Adrien n'est pas du tout mon genre. On est de parfaits opposés, lui et moi.

La salle à manger est décorée avec des ballons, et les tables ont été poussées le long des murs. Monsieur Belami se tient derrière un appareil de musique qui semble dater de la Préhistoire – ce qui, lorsqu'on y réfléchit, est parfait pour lui. Il a mis un gros nœud papillon rose à paillettes, de fausses lunettes démesurées, et un chapeau de carnaval qui a du mal à tenir sur son abondante tignasse. En le voyant, les filles se retiennent de rire. Benjamin, le jeune prof de sciences, a emporté sa collection de CD, si bien que la musique est plus chouette et plus moderne que ne l'avaient craint les trois amies.

Des spots lumineux balaient la pièce. Les autres élèves sont déjà arrivés, et ils discutent par petits groupes, en attendant que les plus courageux

se décident à danser. Rose s'est glissée dans une robe argentée qui scintille à des kilomètres. Plus voyante, tu meurs ! Mal à l'aise, Chloé se dirige d'abord vers les boissons posées sur une table.

Le premier garçon qu'elle repère est Adrien. D'abord parce qu'il se tient près de Pauline – et donc, près de ses amies. Ensuite parce qu'il paraît complètement différent. Il s'est coiffé ! Ses cheveux, peignés sur le côté, mettent en valeur son teint mat et ses grands yeux foncés. Il porte une chemise grise et un pantalon noir – vêtements qui le rendent assez mignon.

Il piétine sur place, tandis que Pauline sirote tranquillement son jus d'orange.

— Dis, Pauline, tu voudrais bien danser avec moi ? finit-il par demander.

Pauline se retourne vers lui. Il a l'air si gauche et si timide, qu'il en est presque touchant. Comme son sourire, vraiment craquant, auquel elle n'avait encore jamais fait attention jusqu'ici – normal, puisque Adrien passe ses journées à faire le pitre, en classe.

– Entendu, mais si tu me marches sur les pieds, ou si tu te mets des trucs dans le nez, c'est mort. J'arrête de danser, répond Pauline.

Ils gagnent le centre de la salle et commencent à danser. D'autres collégiens les imitent. Bientôt, la plupart des élèves remuent sur la musique – plus ou moins élégamment. Un garçon inconnu – d'une autre sixième sans doute – s'approche de Kim. Il a de beaux yeux verts et des cheveux brillants.

– Mademoiselle, si vous voulez bien m'accorder une danse, lance-t-il d'un ton cérémonieux qui fait rire la jeune fille.

Il lui tend un bras, mais elle regarde Chloé, brusquement inquiète.

– Je peux te laisser ?

– Ben oui, vas-y !

Chloé reste seule, près de la table. Il y a tellement de monde en train de danser, qu'elle n'arrive même pas à distinguer Yannis. Les basses lui donnent mal à la tête, et la chaleur commence à l'étouffer. Rien ne se passe comme elle l'avait rêvé. Au même instant, elle sent son portable vibrer dans son petit *clutch* doré – un autre prêt de Pauline.

Sa mère lui a envoyé un message.

Merci pour la photo, mon cœur. Moi aussi, j'ai hâte de rencontrer tes nouveaux amis. Tu me manques terriblement. Je t'aime.

Chloé sent sa gorge se serrer. Elle a déployé tant d'efforts pour se convaincre que ce voyage à Paris arrangerait tout, que son chagrin s'envolerait comme par miracle. Alors, s'apercevoir qu'elle n'a fait que se mentir à elle-même est dur à avaler. Sans un regard pour ses amies, elle se rue à l'extérieur…

Chloé trouve refuge sur un banc, en bordure du parc. Il fait très frais, et elle croise les bras pour ne pas grelotter. Mais l'air vif lui fait du bien.

– Tu pleures ? demande soudain une voix près d'elle.

Mattéo l'a rejointe. Lui aussi s'est mis sur son trente-et-un, avec une belle chemise noire satinée, un peu trop grande pour lui. Chloé la reconnaît : c'est celle que portait Yannis la fois où ils sont allés tous ensemble chez Pauline. Elle s'essuie les yeux du revers de la main.

– Ce n'est rien…

Il s'assoit à côté d'elle, puis demeure là, sans parler, pendant de longues minutes. Sa présence ne dérange pas Chloé, plongée dans ses pensées. Elle se demande seulement pourquoi il préfère rester avec elle, au lieu d'aller s'amuser avec les autres. Elle finit par lui poser la question.

– Ça caille… Pourquoi tu ne retournes pas avec Yannis ? Il doit se demander où tu es passé.

Mattéo hausse les épaules.

– Oh, lui ! Dès qu'il a vu la meute de filles qui voulait l'inviter à danser, il a eu la trouille et il est parti.

– Ah bon ? Mais, et toi, tu n'aimes pas danser ?

– Disons plutôt que je ne suis pas très doué, avoue-t-il.

Chloé ne peut s'empêcher de sourire.

– Pareil pour moi. J'avais demandé à Kim de m'apprendre comment on fait. Mais bon, comme on n'était pas dans la même chambre, elle n'a pas eu le temps.

– C'est vrai ? s'étonne-t-il, en éclatant de rire. Moi, j'en ai parlé à Yannis, hier, dans le car.

Cette fois, Chloé rit de bon cœur. Elle comprend mieux pourquoi Mattéo n'était pas venu s'installer près d'elle. Derrière eux, la salle brille, et la musique s'échappe par les fenêtres entrouvertes.

– Au fait, je voulais te remercier pour l'autre jour, reprend Mattéo à voix basse.

Chloé le regarde, sans comprendre.

– Me remercier ? Mais pourquoi ?

– D'avoir parlé au prof des parents qui ont des difficultés financières. Mon père est au chômage depuis des mois. Chaque jour, il cherche, envoie des dizaines de CV, passe des coups de fil. Aucun résultat ! Et c'est un peu dur à la maison… Ma mère ne se plaint pas, mais elle a parfois les yeux rouges.

Chloé est touchée par sa confidence.

– Ton père fait quoi comme métier ?

– Technicien de maintenance informatique, soupire-t-il, le regard triste.

Elle ignore précisément en quoi cela consiste. Tout ce qu'elle sait, c'est qu'elle n'aime pas voir Mattéo déprimé. Lui qui est toujours si gai et si attentionné, il a bien mérité d'avoir un peu de soutien. Mais ce n'est pas toujours facile de trouver les mots justes.

Chloé se souvient des paroles de Pauline.

– Ne t'en fais pas, je suis certaine que ça va s'arranger. Il ne faut pas baisser les bras. Et si un jour, tu as besoin d'aide, n'hésite pas. Comme dit Pauline, je ne suis pas juste ton amie quand tout va bien. Je suis là aussi quand ça ne va pas.

Mattéo lui décoche un sourire plein de reconnaissance.

– Pourquoi tu pleurais, tout à l'heure ? Je t'ai vue sortir en courant.

Même si elle ne le connaît que depuis la rentrée, Chloé sait qu'elle peut lui parler, en toute confiance. C'est la première fois qu'elle se sent aussi à l'aise avec un garçon.

– Ma mère est partie en tournée depuis des mois. Et puis là, en voyant les autres s'amuser, rigoler, je ne sais pas. Je me suis sentie encore plus… seule.

– Je comprends… Et si on essayait de profiter un peu de la fête ? On pourrait oublier nos problèmes.

Chloé est d'accord, mais là, pour l'instant, elle n'a pas très envie de retourner avec les autres.

– Bof…

Mattéo semble la comprendre.

– Ça te dirait de danser avec le cavalier le plus nul du collège ?

112

La jeune fille acquiesce. Après tout, pourquoi pas ? Mattéo est gentil. En plus, ils sont tout seuls – et donc, s'ils se couvrent de ridicule, personne ne les verra.

– Super ! se réjouit-il. Par contre, j'espère que tu as des chaussures en acier, parce que tes pieds vont souffrir à mort !

Tandis que la soirée se poursuit dans la salle, les deux amis se déhanchent n'importe comment, en riant sous le clair de lune…

# Chapitre 7

## Le retour surprise

Dans le car qui les ramène, Chloé savoure chaque minute du retour. Kim et Pauline parlent de la fête, pendant laquelle elles n'ont pas arrêté de danser. Il y a même eu un slow ! Kim a dansé avec Evan, le garçon de sixième A aux yeux verts, qui ne l'a pas lâchée d'une semelle.

Quelques rangs devant, Rose – la reine incontestée de la soirée – discute avec Claire, ou plutôt Rose parle, tandis que Claire l'écoute. Certaines choses ne changeront jamais – contrairement à d'autres.

Adrien est étrangement calme. Il ne fait aucune blague débile, et il ne braille plus. Il se tient bien droit, sauf lorsqu'il tourne parfois la tête en arrière, pour sourire à Pauline... Sourire que la jeune fille lui rend discrètement.

Au bout d'un moment, bercée par le ronronnement du moteur et le brouhaha des conversations, Chloé ferme les yeux. Ce voyage est passé si vite ! Rien ne s'est déroulé comme elle l'avait rêvé, mais au final, c'était chouette quand même. Il y a eu des rires, des surprises et des discussions inattendues. Elle a la tête encore pleine d'émotions, le cœur tout chamboulé… Son seul regret : ne pas avoir pu danser avec Yannis.

Lorsqu'elle rouvre les paupières, elle aperçoit Mattéo qui la regarde, de l'autre côté de l'allée centrale.

– Tu pourrais nous chanter quelque chose ? demande-t-il.

Chloé accepte avec joie. Elle se moque de savoir si certains l'écoutent et se moquent d'elle. Chanter est peut-être la meilleure façon d'exprimer ce qu'elle ressent. La meilleure façon aussi de conclure ces trois jours à Paris, où il s'est passé tant de choses qu'elle n'est pas prête d'oublier.

Chloé a hâte de retrouver son père, Judith et Victor. Bientôt, le car s'arrête sur le parking du collège, au milieu des voitures. En balayant les véhicules du regard, Chloé est surprise de découvrir la Fiat rose de sa tante Léa – une auto reconnaissable entre mille. Elle pensait que son père viendrait la chercher… Puis elle se souvient qu'il y a toujours beaucoup de monde dans la librairie, le samedi après-midi. Il n'a peut-être pas pu se libérer, après tout.

Les élèves sortent du car et se disent au revoir. Les trois amies ont du mal à se quitter.

– C'était cool, hein ? murmure Kim, les yeux brillants.

– Mieux que ça, confirme Chloé, émue.

– Je vous adore trop, les filles ! s'exclame Pauline, en les serrant contre elle.

– Nous aussi !

Chloé les regarde s'éloigner… Avec un soupir, elle se dirige ensuite vers la Fiat rose, où l'attend sa tante. Léa sort pour l'étreindre.

– Bonjour, ma sirène ! Alors, c'était bien, cette sortie à Paris ?

Chloé hoche la tête, en silence. Elle a tellement de choses à raconter qu'elle ne saurait pas par quoi commencer. À quelques mètres, Rose se jette dans les bras de sa sœur. Yannis embrasse rapidement son père, un homme au visage sévère…

– Bon, je vois que tu as perdu ta langue, on dirait, constate Léa. Viens, ma belle, j'ai une surprise pour toi.

Alors qu'elle est sur le point de monter dans la voiture, Chloé aperçoit Mattéo et une fille d'une vingtaine d'années – sa sœur, Audrey, sans doute. Ils sortent du parking à pied, le garçon traînant sa valise derrière lui, et elle portant des cabas remplis de courses. Sans réfléchir, Chloé lève une main.

– Mattéo ! crie-t-elle. Vous voulez qu'on vous ramène ?

Il se retourne en souriant, puis rebrousse chemin avec sa sœur.

– Vous êtes bien certaine que ça ne vous dérange pas, madame ? s'inquiète-t-il, une fois les présentations faites.

Léa éclate de rire.

– Bien sûr que non ! Dis-moi seulement où vous habitez.

Léa traverse la ville, pour rejoindre un quartier un peu excentré, avec des maisons accolées qui se ressemblent toutes. En bonne journaliste, elle en profite pour questionner Mattéo – Chloé ne répondant que très vaguement à ses questions.

– Et dis-moi Mattéo, tu as aimé votre séjour ?

– C'était top, madame, affirme-t-il, sans plus de précision.

Sur le siège avant, Chloé sourit. Mattéo non plus ne semble pas avoir très envie de parler... En désespoir de cause, Léa se met à discuter avec Audrey, qui suit des études de communication. Après lui avoir tendu sa carte de visite pour d'éventuels stages à venir, elle dépose Mattéo et sa sœur devant l'un des pavillons. Chloé descend de voiture pour les aider à décharger les sacs et la valise, rangés dans le coffre.

– Merci pour le taxi ! lance-t-il, en rejoignant la porte d'entrée.

– De rien. À lundi, Matt' !

Une silhouette masculine apparaît derrière l'une des fenêtres. Le père de son ami, sûrement. Chloé hoche la tête. Puis, sans se presser, elle remonte en voiture, et Léa démarre.

– Mattéo a l'air gentil, commente sa tante. Et il semble bien t'apprécier.

Chloé comprend tout de suite où elle veut en venir.

– C'est juste un ami. Rien qu'un ami, répète-t-elle, histoire d'être claire.

– Et l'autre garçon, il te plaît ? interroge Léa.

– Quel garçon ?

– Le beau blond, sur la photo que tu m'as envoyée. Tu as mis la robe que je t'ai offerte pendant le séjour ?

– *Grr !* ronchonne Chloé. Qu'est-ce que tu vas encore t'imaginer !

Mais elle ne peut s'empêcher de rire…

Léa l'emmène chez elle, dans son bel appartement du centre-ville, juché tout en haut d'un immeuble. Chloé se demande quelle sera la fameuse surprise qu'elle lui a réservée. Pas une autre robe, elle espère – une, ça suffit amplement. En entrant dans le salon, elle ne voit d'abord pas la silhouette qui se tient, penchée sur la terrasse. Puis elle entend un cri.

– Ma chérie !

La femme se redresse. Chloé se rue vers elle, le visage baigné de larmes.

– Maman ! Maman ! Mais tu es là ? crie-t-elle, folle de joie.

Anne-Sophie la couvre de baisers.

– J'ai dit à mon producteur que je devais absolument passer quelques jours avec toi, avant ma tournée aux États-Unis. Je l'ai menacé que s'il refusait, je laissais tout tomber. Oh, ma chérie ! Comme tu as grandi…

Il y a les rêves et la réalité. Parfois, la réalité est encore plus belle…

Fin

# As-tu lu les tomes précédents ?

**Tome 1**

**Tome 2**

# Table

Chapitre 1. . . . . . . . . . . . 11

Chapitre 2 . . . . . . . . . .27

Chapitre 3 . . . . . . . . . .43

Chapitre 4 . . . . . . . . . 61

Chapitre 5 . . . . . . . . . .77

Chapitre 6 . . . . . . . . . .93

Chapitre 7 . . . . . . . . . 115

PAPIER À BASE DE
FIBRES CERTIFIÉES

[H] hachette s'engage pour l'environnement en réduisant l'empreinte carbone de ses livres. Celle de cet exemplaire est de :

550g éq. $CO_2$

Rendez-vous sur www.hachette-durable.fr

Photogravure Nord Compo - Villeneuve-d'Ascq

Imprimé en Roumanie par G. Canale & C. S.A.
Dépôt légal : décembre 2016
Achevé d'imprimer : avril 2017
27.9718.7/02 – ISBN 978-2-01-700412-7
Loi n° 49956 du 16 juillet 1949
sur les publications destinées à la jeunesse